Pépé Verdun

Jean-Paul Nozière écrit depuis une douzaine d'années, exclusivement pour la jeunesse. Il est aussi bibliothécaire-documentaliste dans un collège. Il vit toute l'année à la campagne et il en est fort heureux...

Du même auteur, dans la même collection :
Z comme Zoulou

Collection dirigée par Laurence Kiéfé.

Pépé Verdun

Jean-Paul Nozière

Illustrations de
Mérel

Le vieux tentait d'enrouler ses spaghettis au creux de la cuillère. Il essayait d'imiter Tchac qui l'observait d'un œil narquois à l'autre bout de la table. La cuisine était silencieuse. Une absence de bruit pesante, contrainte. Seules quelques grosses mouches bleues, engluées dans un mélange d'eau et de confiture, se débattaient furieusement et bruyamment afin d'échapper au piège qui les tuerait.

un morceau de fromage qui empestait.

— Y pue ! constata Tchac.

— Mon œil ! Il est fameux, oui ! Au moins, il se mange proprement, pas comme tes spaghettis de barbares.

— De toute façon, le frigo est fichu, poursuivit Tchac. Pourquoi t'en achètes pas un neuf ? Il n'y a jamais de trucs neufs chez nous.

— C'est le moment, ironisa le vieux. Dans six mois, où est-ce que je les mettrai, tes trucs ? Les jeunes, vous ne pensez qu'à acheter. Nous à Verdun, si on avait…

Il était parti, se plongeait dans une histoire qui n'était pas la sienne, mais celle de son père, tué à Verdun, à la cote 345. Une balle en pleine poitrine.

Tchac laissa faire. Pépé Victor soliloquerait ainsi jusqu'à l'heure de sa sieste, prenant la chienne Baïonnette à témoin. Pour l'instant, indifférente aux exploits de son maître, elle dormait sous la table.

Depuis deux ans que Victor avait recueilli l'enfant, après la mort accidentelle de ses parents, ils vivaient en perpétuelle bagarre, chacun reprochant à l'autre son âge.

— On vit ici comme au temps des hommes préhistoriques, râlait Tchac. Ta maison tombe en ruine, tu ne dépenses pas un sou, on n'a même pas la télé...

Souvent, pépé Victor biaisait et s'adressait à Baïonnette :

— Sacrément calé en histoire le gamin, hein ? À douze ans, les p'tiots de maintenant mènent la baraque, sans considération des aînés.

Puis, invariablement, il s'emparait d'une de ses cannes et grognait :

— Allez, fifille, conduis-moi à la rivière, au moins les poissons ne donnent pas de stupides conseils.

Ainsi allait leur vie, de ronchonnements

qui n'en finissaient pas en longs silences qui n'en finissaient plus. Chacun sans doute y trouvait son compte. Tchac bénéficiait d'une totale liberté. Le vieux profitait de la compagnie d'un petit-fils certes turbulent, mais qui l'empêchait de songer aux années qui filaient.

Le seul instant de véritable trêve s'établissait le soir, lorsque Tchac déballait ses cahiers et ses livres sur la table de la cuisine. Pépé Victor connaissait tout. Incol-lable en histoire-géographie, il parlait couramment l'allemand, résolvait une équation en deux minutes, se riait des exercices de techno. Il réexpliquait les leçons et interrogeait Tchac, sans jamais s'énerver ni se lasser.

D'où détenait-il ces formidables connaissances ? Intarissable sur certains sujets, soûlant de paroles ses interlocuteurs effarés, il refusait catégoriquement de donner le moindre éclaircissement là-dessus. Il clignait de l'œil, comme si c'était une bonne blague, et répétait seulement :

— J'ai bourlingué... j'ai bourlingué...

Pendant qu'il mastiquait son fromage, Tchac débarrassa la table et commença la vaisselle. Comme les traînées rouges de sauce tomate le dégoûtaient, il se contenta de diriger le jet d'eau froide du robinet sur les assiettes en évitant soigneusement d'y mettre les mains. Baïonnette acheva la besogne, d'un coup de langue vorace.

Captivé par son propre récit, pépé Verdun débutait à peine sa conquête de la cote 345 que déjà les couverts étaient rangés dans le buffet, la toile cirée nettoyée d'un coup d'éponge expéditif. Les miettes changèrent de place. Elles s'éparpillèrent sur le sol carrelé et là encore, la chienne seconda Tchac dans sa tâche.

Cette fois, malgré les obus qui sillonnaient l'air, l'obligeant à se terrer dans sa tranchée, le vieux avait tout vu.

— T'as l'air bougrement pressé de déguerpir, pourtant le mercredi, il n'y a pas d'école !

— Si tu crois que c'est marrant de patauger dans la sauce tomate. Tu ne veux pas de lave-vaisselle, pas de télé, pas de frigidaire et moi, je ramasse les nouilles dans l'évier !

Pépé Victor soupira. Sans quitter sa chaise, il réussit à ouvrir le tiroir d'une sorte de commode, y prit un paquet de tabac, des feuilles presque transparentes, de la marque Job gommé, et se roula une cigarette.

— Bah, bientôt je ne m'occuperai plus ni de vaisselle, ni de rien. C'est pas trop tôt qu'ils m'aient enfin trouvé une place à la “Résidence Sans Souci”. J'connais la maison, elle est belle, avec de grandes chambres, un immense parc… J'y serai bien.

Il alluma sa cigarette, aspira une longue bouffée.

— Sûr que j'y serai bien. Le maire a raison, maintenant, me déplacer, quel chiendent ! Puis, sans doute que je ne m'occupe pas suffisamment de toi. Enfin, à ce qu'il paraît.

Il parlait, mais Tchac ne l'écoutait pas. Il préparait sa musette de pêche, dans un coin de la pièce.

— Ah, tu descends à la rivière, constata pépé Victor, une pointe de dépit dans la voix. J'irais volontiers aussi si j'avais pas la guibolle gonflée comme une citrouille. Au moins, prends garde. La Tille, comme ça, on dirait un ruisseau, mais je t'en citerais plus d'un qu'elle a piégé ! Finalement, chez ma sœur, à la ville, tu seras mieux qu'ici, y a moins de danger.

— Ouais, riposta Tchac. Et je ne ferai pas la vaisselle, ni mon lit puisque cousine Monique a une femme de ménage. J'irai au ciné, je me marrerai. Vivement que je me tire de ce patelin !

Pépé Victor secoua sa cigarette ; la cendre tomba sur le sol. Aussitôt Baïonnette accourut, renifla et déçue, regagna son coin.

Désignant la chienne du doigt, le vieux poursuivit :

— Elle me cause du souci ; sans elle…

— Elle t'accompagne, remarqua Tchac, c'est prévu.

— Je sais, je sais, confirma pensivement pépé Victor. Sinon, tu penses que je n'aurais pas accepté. Mais ici, Baïonnette est libre et là-bas, elle sera la journée entière enfermée dans un chenil.

Il respira un grand coup et dit :

— Bah, on verra. En tout cas, ne plus t'avoir sur le dos me reposera.

— Comme ça, on est content tous les deux, conclut Tchac. Salut, à ce soir !

Il claqua violemment la porte, comme si une fureur imprécise le poussait à se venger sur les choses. Baïonnette flaira les traces de l'enfant et se mit à geindre.

— Toi aussi, tu préfères la compagnie des jeunes, maugréa le vieux. Si tu t'imagines qu'il se préoccupe de ta pâtée... Viens donc, aujourd'hui, il y a des restes de spaghettis bolognaise !

L'étrange conduite de Tchac se manifesta dès le lendemain des spaghettis bolognaise. On aurait dit que les paroles sarcastiques du vieil homme avaient transformé les banales pâtes en nourriture diabolique.

Ce matin-là, ainsi qu'à l'habitude, il attendait le bus de ramassage scolaire en compagnie d'autres enfants. Le visage inexpressif, il shootait dans la musette qui lui servait de cartable, lui imprimant un mouvement pendulaire qu'il cherchait à perfectionner ou à corriger à coups de pieds énergiques et précis.

Connaissant le peu de goût de Tchac pour la conversation, ses camarades de collège le boudaient. Pourtant, Pierre-Guillaume Candi, dit Sucre d'Orge, se risqua :

— Dis, paraît que tu déménages bientôt ?

— Je te demande l'âge de ta sœur ? fut la seule réponse qu'il obtint.

Sucre d'Orge ne se troubla pas.

— Pépère Verdun devient salement gâteux, il raconte des salades tout seul, même au milieu de la rue. Cote 345 mollit du chapeau, qu'est-ce qu'il doit te casser les pieds !

— ....

— Mon père dit qu'il était temps que le

maire lui dégotte une place à l'asile des vieux schnoques.

Sucre d'Orge reçut la serviette bourrée de livres exactement sur l'arête du nez et l'arcade sourcilière droite ; la puissance du coup le catapulta en arrière, directement sur les fesses et il occupait encore cette position lorsque Tchac déclara :

— Des tarés ! Vous n'êtes tous que des pauvres tarés et heureusement que j'me casse bientôt de ce patelin minable ! J'en regretterai pas un.

Lorsque le car tourna à l'angle de la rue, l'enfant n'était plus qu'un minuscule point zigzaguant au milieu de la vaste prairie qui bordait la rivière. Livres et classeurs, disloqués, s'effeuillaient peu à peu au vent qui se levait.

Il courait, à petites foulées régulières et soutenues, ne rompant son rythme que lorsqu'il fallait escalader une clôture barbelée ou traverser une haie serrée et hostile. Il ignorait où il allait, n'y pensait même pas. Peu lui importait. Il se laissait ballotter par des émotions contradictoires. À la formidable joie de vivre qui l'étreignait succédait aussitôt un profond chagrin qui le conduisait au bord des larmes.

Tchac n'aurait su donner aucune explication à ces deux phénomènes si déroutants.

Il parcourut trois kilomètres à travers champs, s'arrêtant une seule fois afin de basculer les étais qui retenaient une énorme pile de bois. Celle-ci s'effondra en un fracas épouvantable. Réempiler les morceaux demanderait des heures et des heures de travail : Tchac ignorait le nom du propriétaire.

Il aperçut le tracteur de loin. Un gros point rouge posé au milieu du vert tendre des jeunes pousses de blé. Il abandonna le pas de course. Il adopta au contraire une marche lente, précautionneuse, ralentie à l'excès, comme si la machine dissimulait un danger. Lorsqu'il fut à moins de deux mètres de l'engin, Tchac parla à haute voix.

Ce qu'il disait n'avait aucun sens :

— De toute façon, cousine Monique est une conne !

Sans doute concluait-il ainsi une réflexion qu'il poursuivait mentalement. Ses sourcils se froncèrent, son visage se crispa et une multitude de petites rides - inattendues chez un enfant de cet âge - plissèrent son front et le coin de ses lèvres.

— Le tracteur de Marcel Boilac, reprit-il. J'parie que les clés sont sous le siège.

Il tira d'un coup sec la poignée de la portière fermée par une ficelle mal nouée. Elle s'ouvrit. Tchac n'était pas très grand : derrière le volant du tracteur, il parut minuscule. Il eut vite fait de dénicher les clés et de démarrer le moteur. L'été précédent, par jeu, il avait aidé aux moissons et parfois l'agriculteur le laissait conduire dans les chemins de terre.

Des hectares de blé vert ondulaient à

perte de vue. Avant d'enclencher la première, Tchac eut la vision fugitive de son grand-père somnolant à l'ombre du platane, derrière la maison. Lui qui ne racontait jamais rien d'autre que ses absurdes exploits guerriers, imaginés mais rabâchés, il aurait de quoi varier son répertoire dans sa maison de retraite ! En compagnie des autres vieux, il pourrait se lamenter à l'infini, critiquer les jeunes, leur manque d'éducation, et tout l'habituel Saint Frusquin ! De ses poings serrés, l'enfant frappa plusieurs fois le volant, comme s'il désirait le briser.

— Ça lui apprendra ! Ça lui apprendra ! Il criait.

La colère fripait son visage normalement rond et lisse, étirait ses lèvres en une mauvaise grimace de dépit. On aurait dit un bébé qui trépigne de rage devant son jouet brisé.

Le tracteur démarra lentement. Aussitôt, pépiant leur émoi, des volées d'étourneaux s'échappèrent devant les roues. Tchac manipula violemment le levier de vitesse. D'un seul coup, l'engin eut un soubresaut et se mit à rouler à vive allure. Il dut se cramponner de toutes ses forces, s'arc-bouter sur le volant qui menaçait de se détendre, au risque de lui casser les poignets.

Il déployait une énergie farouche afin de contrôler la machine. Les roues arrière, gigantesques, broyaient les pousses de blé, ou, comme le sol était encore gras des pluies des jours précédents, les enterraient profondément. D'autres, arrachées par les crampons des pneus, demeuraient collées un moment au caoutchouc, puis giclaient en l'air dès que le tracteur virait.

Les dégâts étaient considérables.

Durant vingt minutes, l'engin roula ainsi

en cercles concentriques, couchant au sol un demi-hectare de blé.

Épuisé, Tchac coupa le contact. Le moteur hoqueta, puis cala. Aux grondements succéda un silence impressionnant qui enveloppa la plaine comme une menace. Seuls quelques corbeaux dérangés croassaient leur mécontentement.

L'enfant quitta la cabine, sans même refermer la porte. Il pleura, adossé à une roue.

Baïonnette posa délicatement sa tête sur la jambe malade de pépé Victor et attendit la caresse. Elle affectionnait ces instants quand, dans l'ombre du platane, le vieil homme se reposait tout en parlant et en laissant courir sa main sur son échine.

— Au village, y m'croient gâteux, dit-il d'un ton furieux, mais si je raconte autre chose que mes histoires de guerre, ils ne m'écoutent pas. S'moquent pas mal des vieux, sauf s'ils peuvent rigoler…

L'amertume qui le rendait ronchon réveillait aussi la sciatique qui pinçait si fort les muscles et rendait la marche si douloureuse. Néanmoins, un sourire rusé souligna ses rides :

— L'Marcel, il espérait me rouler l'autre jour. Pépère Verdun par-ci, pépère Verdun par-là, et la cote 345, comment c'était et patati, et patata…

De contentement, il affermit ses caresses. Baïonnette eut un soupir de satisfaction.

— C'est pas aux vieux singes qu'on apprend à faire la grimace. Comme si j'le voyais pas venir avec son sirop… Il comptait m'estorquer une ristourne…

Il marqua une pause. Ses yeux pétillèrent de malice. Il chuchota, fixant la chienne comme s'il espérait qu'elle saisirait réellement l'énormité de la confidence.

— N'empêche que l'Marcel, j'lui ai refilé dix stères de bois au prix fort, et pas du meilleur, qui traînait dans le clos depuis cinq ans. De mon temps, on f'sait pas tant le malin, mais on gardait l'œil ouvert !

L'évocation du passé éveilla des souvenirs nostalgiques. Il reprit son air grognon.

— Remarque, les jeunes ne sont pas forcément de mauvais bougres. Bon, j'suis d'accord avec toi, Emmanuel quand il s'y met, il a une tête de cochon.

Il refusait d'appeler son petit-fils Tchac, ce surnom mystérieux hérité de sa lointaine enfance et dont il ignorait l'origine.

— Tu m'diras pas le contraire, hein, reprit-il, il a une tête de cochon ?

Baïonnette, les paupières closes, ronronnait comme un chat.

— Toujours à m'asticoter, à me reprocher des choses qui ne tiennent pas debout, soi-disant que je ne lui achèterais rien comme les autres…

Il s'indigna :

— Mais aussi, il faut voir les jeunes de maintenant ! Pas plus tard que l'autre jour, il me réclame un blougine, un souite cheurte et des santiagues. Oui, t'as entendu, des santiagues ! Tu sais ce que c'est toi ? Une panoplie de cowboy américain ! Ah ça non ! Tant qu'il vivra sous mon toit, on ne rigolera pas de mon nom !

À quelques mètres du fauteuil d'osier, une tourterelle picorait les graines que les poules gavées délaissaient. D'habitude, Baïonnette fonçait comme une folle, espérant chaque fois - et vainement - tordre le cou à l'oiseau. Mais elle appréciait trop les câlins du vieux et lorgna à peine la bestiole aventureuse. Elle réenfonça aussitôt la tête entre les genoux de pépé Victor. Il avait vu le manège.

— Oh toi, t'es la plus gentille ! Au moins, t'as la reconnaissance du ventre, parce que ce chameau d'Emmanuel, il oublie un peu vite les sacrifices.

Une ride de souci plissa son front :

— Malgré la cage, j'espère que tu te plairas là-bas. J'viendrai te voir souvent, à chaque heure si j'peux, mais tu sais, les règlements... Bien beau déjà qu'ils tolèrent les bêtes... sans ça j'aurais pas marché, sûr que j'l'aurais envoyé balader, l'Jeannot Bilache, tout maire qu'il est. Sa maison de retraite...

À ces mots, le comportement de Baïonnette changea brusquement. La queue entre les jambes, rampant comme si on l'avait battue, elle alla se terrer sous un banc de bois. La voix du vieux s'érailla :

— Sors de là, ma grosse. T'aimes pas

que j'cause de ça, hein ma pauv'vieille, mais au fond, l'Jeannot a raison, à cause de cette foutue guibolle, j'peux plus me traîner et Manu, si y m'fait tourner en bourrique, c'est qu'il sent que je ne suis plus assez costaud pour lui résister.

Aplatie dans son coin, la chienne émettait de petites plaintes et regardait pépé Victor de ses grands yeux pleins de reproches.

— Te bile pas mamie, tous les deux, on s'ra heureux là-bas. Des coqs en pâte, parce que… parce que…

Ne trouvant pas de raison à invoquer, il s'énerva.

— Faut toujours que tu crées des histoires aussi ! Mademoiselle est gâtée, pourrie ! Pourquoi on s'rait pas bien, hein, dis-le moi ? Allez, dis-le !

Dix fois, il répéta "dis-le". Finalement, il triompha :

— Ah ! Tu vois que j'ai raison !

Et il rentra dans la maison.

Derrière le gymnase, Tchac fumait la Camel échangée à un élève de troisième contre quelques vifs pour la pêche. Devant les regards admiratifs de ses camarades, il aspirait de grosses bouffées fades et écœurantes, qu'il retenait le plus longtemps possible entre ses joues avant de les rejeter par le nez.

— T'avales la fumée ! murmura Spote admiratif.

— Et comment ! J'ai l'habitude, j'fume pas loin d'un paquet par jour.

Le silence - respectueux - s'établit. À peine s'ils entendaient les bruits de récréation qui parvenaient de l'autre extrémité du collège. Tchac, prêt à vomir, espérait la cloche de toute sa volonté. Surtout, il essayait de ne pas regarder la cigarette, ni même d'y penser.

— T'es salement gonflé, constata une voix. Si tu te fais piquer, t'es bon pour être viré trois jours et tes parents…

— J'ai pas de parents ! coupa sèchement Tchac. Et mon grand-père se fiche pas mal de ce que je fais.

La sonnerie le délivra.

Ses copains se dispersèrent. En quelques secondes, il fut seul, libre de montrer son dégoût du tabac et ses joues devinrent livides. Sans se presser, il contourna le gymnase, le réfectoire, les bâtiments administratifs, traversa crânement la cour asphaltée, à pas lents, alors que les classes rangées en ordre approximatif attendaient leur tour et le geste des profs qui les inviterait à s'engouffrer dans le couloir conduisant aux salles de cours. Des centaines de regards anxieux le suivaient. Il se força à ralentir.

Le pion - Hervé Chou, dit Chou-Fleur - fit mine de ne rien voir et s'éloigna dans la direction opposée. Cinq longues années de surveillance, dans divers lycées, lui avaient appris à reconnaître les cas explosifs auxquels il valait mieux ne pas se frotter. Depuis deux mois, il lisait dans les yeux de Tchac une évolution qui le transformait peu à peu en une bombe atomique. Chou-Fleur était décidé à laisser à d'autres le soin de désamorcer cet infernal colis. Par contre le nouveau surgé ignorait ces élémentaires notions de psychologie : il bondit comme un diable au devant du retardataire.

— Vas-y, prends ton temps ! Ne te gêne surtout pas ! On attendra MONSIEUR Emmanuel !

Tchac releva la tête. Le cœur éparpillé dans la poitrine, les jambes aussi molles que le jour où il avait ferré un brochet de huit livres, il planta ses yeux dans ceux de monsieur Boulaille qui réalisa aussitôt qu'il commettait là une erreur phénoménale. Cependant, il n'était plus question de reculer : son prestige ne se relèverait pas d'une retraite peu en rapport avec le mordant de son attaque.

— D'où viens-tu ?

— Du gymnase.

— Que fichais-tu là-bas ? Pendant la récréation, il est inter…

— Je fumais, répondit tranquillement Tchac.

Tout son corps tremblait de peur. Il avait l'impression de se lancer dans le vide, dans un gouffre vertigineux au fond duquel le guettait l'œil sombre d'un lac aux eaux noires et froides.

« Pourquoi je raconte ça, eut-il le temps de se dire, j'suis complètement dingue... »

Au même instant, le surgé paniqué pensait :

« Pourquoi il me dit ça, il est dingue, je n'exige pas de confidences... »

Comme Chou-Fleur, il réalisait que son excessive témérité le conduisait à poser le doigt sur un détonateur. Il décida un repli immédiat.

— Bon... parfait... on va voir ce qu'on va voir... dès la fin de l'heure, tu files au bureau de monsieur le Principal.

Et, sur un dernier "non mais alors, c'est incroyable" hurlé à l'adresse des rangs qui ricanaient, il pirouetta et franchit la première porte qui s'offrait à sa main tremblante. L'onde de rire qui courut des 6e aux 5e détendit l'atmosphère : monsieur Boulaille pénétrait dans le réduit des seaux, balais et serpillières…

Vingt-trois bouches entrouvertes d'angoisse, quarante-six yeux fébriles suivaient la marche périlleuse de madame Richard à travers les allées encombrées de sacs.

— Au loin, l'armée gauloise se prépare, César le sait. Il redoute ces hommes farouches, habitués à la mort…

La prof se tut. Des bruits de tuyauterie fatiguée gargouillèrent des étages inférieurs.

Soudain, utilisant son sens inouï de la mise en scène, madame Richard pivota - ses hauts talons écrabouillèrent une trousse - et brandit son doigt en direction de la baie vitrée.

— Des milliers de Gaulois s'ébranlent à travers la plaine. Les voyez-vous s'avancer, ivres de liberté, prêts aux pires souffrances pour sauver Alésia ? La poussière s'élève, obscurcit bientôt le ciel... le martèlement des sabots des chevaux, les cris vengeurs glacent les Romains d'effroi...

Deux phalanges de l'index de Spote disparurent dans son nez. Marielle serra la main de Julie qui se mordit la lèvre inférieure.

Au dernier rang de la classe, sous le titre de la leçon - la conquête de la Gaule - le vingt-quatrième élève dessinait un cow-boy attrapant une truite au lasso. Cependant, grâce aux connaissances de pépé Verdun, Tchac était de loin le meilleur élève en histoire.

— César ne bronche pas, poursuivit le prof. Il sait ce qui attend ces Gaulois indisciplinés, il leur a préparé un piège diabolique. Encore quelques centaines de mètres et l'avant-garde gauloise s'y engloutira tout entière…

Le nez de Spote remonté jusqu'aux yeux ressemblait à une pomme de terre bouillie.

Le premier éternuement se produisit au cœur du suspens, au moment où quelques guerriers intrépides s'empalaient déjà sur les branches d'arbres taillées en pointe, dissimulées dans des trous qui encerclaient le camp assiégé d'Alésia.

Bientôt, la déroute des Gaulois n'est rien à côté de la débandade de la classe de sixième

AAAATCHI!!
ATCHA!!
snif
snif

quatre. Partout on éternuait, cherchant sa respiration, essuyant les larmes qui irritaient les yeux. Madame Richard dut ordonner le repli immédiat vers une autre salle. Entre deux quintes, elle dit :

— C'est toi, Emmanuel ?

— Moi quoi, madame ?

— Toi qui as semé la poudre à éternuer ?

— Oui madame, répondit Tchac piteusement.

Il adorait madame Richard. Il faillit expliquer que son cerveau ne lui obéissait plus, qu'il agissait malgré lui, que...

— Oh Tchac... euh... Emmanuel... La semaine dernière, nous avons eu droit aux boules puantes.. atchoum mon petit Tchac... atchoum... tu me causes beaucoup de soucis... atchoum... je ne crois pas que César te pardonnera jamais.

Campé derrière son bureau d'acajou, les jambes écartées, le Principal du collège Georges Brassens se tapotait les doigts de l'extrémité de son stylo plaqué or.

« J'peux pas piffer ce bonhomme », songea Tchac, la panique au ventre.

Il n'était plus question de crâner, ni même

de répondre. L'escogriffe avait annoncé la couleur la dernière fois que Tchac s'était retrouvé devant lui.

— La prochaine fois, je te préviens, je te colle une paire de claques. Si tu ne comprends que ce genre d'arguments…

Des plaques rouges naissaient sous ses pommettes, gagnaient le tour des yeux, puis les tempes. La colère couvait.

Tchac se recroquevilla davantage dans le fauteuil de cuir brun qui l'enveloppait entièrement.

Le ton monocorde, très las, le surprit et éclipsa sa peur.

— Durant les derniers mois, tu as été pris douze fois à fumer, renvoyé de cours par tous, excepté par ta professeur d'histoire et géographie. Ne comptons pas les absences injustifiées, les devoirs non rendus, les leçons non apprises, les livres perdus…

Le Principal égrenait les griefs avec

autant de conviction que s'il dénombrait des moutons dans un pré. Il se laissa choir sur une chaise, vaincu par l'ampleur du désastre. Il soupirait, écœuré d'un métier qui ne donnait aucune arme pour affronter d'aussi brutales réalités. Il poursuivit sa litanie :

— Est-ce la peine que je te rappelle le chat de la concierge enfermé dans la cage des souris du laboratoire de sciences naturelles ? Les glaces dérobées à la cantine et revendues à tes camarades ? Le chewing-gum dans les serrures... et puis à quoi bon, la liste serait interminable.

Quasi hébété, le Principal fixa Tchac et posa une question qui n'espérait aucune réponse :

— Que veux-tu que je fiche de toi ? À ce train-là, tu files droit à la maison de correction. Bon dieu, tes parents...

Il tenta de retenir sa phrase. En vain.

Déjà, la réplique fusait entre les dents serrées de Tchac.

— J'ai pas de parents ! Y sont morts !

— Je sais, je sais, dit précipitamment le Principal. Je crains fort que tu n'abuses de cette situation. On dirait que tu cherches aussi à dégoûter ton grand-père qui se décarcasse à t'élever. Les sacrifices que cela suppose te sont donc indifférents ?

Tchac triompha :

— Il se moque pas mal de ce que je fais, mon grand-père, la preuve, il s'en va bientôt !

— Ah bon ? Tiens, je l'ignorais..

— Ouais… et moi aussi j'm'en vais, comme ça, vous serez tranquille.

Il toisa le Principal. Ce face-à-face se voulait un défi, mais la voix manquait d'assurance lorsqu'il répéta :

— On s'ra tous tranquilles…

La voiture bleue de la gendarmerie quittait la cour en marche arrière et ses gyrophares pointillaient le crépuscule de taches bleutées.

— Manquent pas de culot ! rouspéta pépé Victor. Pourquoi pas ameuter le village par haut-parleur pendant qu'ils y sont!

Puis, lorsque le véhicule fut loin, ignorant délibérément Tchac qui se recroquevillait dans l'encoignure de la porte d'entrée, il grinça :

— Ça fait la deuxième fois... deux fois que les flics te ramènent par la peau des fesses.

Il ricana :

— Avec leur loupiote et tout le bazar, autant dire qu'au village on jase un bon coup !

— J'm'en fous ! riposta Tchac.

— Pas moi ! dit durement le vieux. Peut-être que tu pourrais m'expliquer ÇA ?

Il brandissait une pancarte - pièce à conviction des gendarmes - sur laquelle des lettres maladroites dessinées au feutre déclaraient :

Malgré la colère de son grand-père, Tchac ne put s'empêcher de sourire.

— Ben quoi, en deux heures j'ai récolté deux cents francs. Si les flics…

— J'en ai assez de tes idioties ! coupa pépé Victor. Le Directeur de ton école s'arrache les cheveux, ton vandalisme exaspère le village et voilà maintenant que la police ne décramponne plus de la maison ! Une quête dans la rue, passe encore, mais pourquoi écrire des stupidités ? T'es pas un enfant abandonné que je sache ? De quoi j'ai l'air moi ?

Son long discours et sa fureur rendaient sa respiration bruyante, hachée. Tchac eut peur.

— Calme-toi pépé, je regrette… je recommencerai pas, balbutia-t-il d'une voix si douce qu'elle parvint à peine aux oreilles du vieil homme.

— Ouais, ouais, j'connais la musique :

demain, on rase gratis. Il y a des mois que tu me sors ce genre de sornettes. Mais bougre de galopin, quel démon t'habite donc ?

Sérieusement fâché, pépé Victor siffla Baïonnette.

— À la soupe, ma fifille.

Il claqua la porte de la cuisine au nez de Tchac.

À compter de ce jour, la conduite de pépé Victor devint aussi étrange que celle de son petit-fils. Certes, il préparait les repas, tenait la maison propre, échangeait quelques propos de-ci de-là, comme par le passé. Mais Tchac ne l'entendait plus se plaindre, gémir sur la médiocrité du temps, récapituler ses douleurs qui l'assassinaient à petit feu ou dénoncer l'incapacité du conseil municipal qui laissait, selon lui, le village aller à vau-l'eau.

Pire, il ne parlait plus de Verdun ni de la cote 345. Enfin, lorsqu'il reçut la énième lettre du Directeur du collège, accompagnée du fatidique papier rouge signifiant le renvoi de Tchac durant trois jours, le grand-père ne fit aucun commentaire.

Au village, on perçut vite la transformation et Nestor Balachie en conserva le cuisant souvenir. Depuis quelques heures, juché sur un échafaudage en plein soleil, il ravalait la façade de sa maison. La fatigue le gagnait lorsqu'il vit le vieillard se promenant de sa démarche lente et heurtée. Il appela :

— Holà pépé Verdun, quelle surprise ! Vous qui n'allez guère qu'à l'épicerie !

— Ça risque de changer, bougonna le vieux, parvenu au pied de la passerelle de planches branlantes.

Nestor ne releva pas la curieuse affirmation, ou plutôt, il l'attribua à un quelconque radotage. Désireux de se détendre un instant, il ramena la conversation sur le sujet qui amusait tant les habitants du village.

— Dites pépère, j'ai trouvé un vieux fusil de guerre caché sous le plancher de mon grenier. Je vous le montrerai, que j'aie l'avis d'un connaisseur : après tout, vous vous êtes battu à la cote 345…

Persuadé qu'un bon quart d'heure de gaieté l'attendait, il s'adossa confortablement à la façade, ses jambes pendant dans le vide. Il but une grande gorgée de bière d'une bouteille largement entamée et attendit patiemment. Pépé Verdun démarrait lentement. Il ne fallait pas le brusquer, mais lorsqu'il montait à l'assaut, il n'était plus question de l'arrêter !

Déjà Nestor riait. Pourtant, comme rien ne se produisait, il se pencha au-dessus de l'échafaudage. Il faillit perdre l'équilibre de saisissement. Le vieux... le vieux urinait contre le crépi neuf de sa maison !

— Victor... enfin, m'sieur Victor !

La voix railleuse coupa ses protestations :

— Tu cherchais encore à te payer ma tête, hein ? Cinquante fois que je te la raconte, ma cote 345, et cinquante fois que ton cerveau gros comme un petit pois n'en comprend pas un mot. T'es qu'un abruti, mon pauvre Nestor, et quand je regarde ton crépi pisseux, j'me dis que c'est dommage que tu ne travailles pas aussi bien de la truelle que de la langue.

— Non mais, ça ne va pas ! Qu'est-ce que ça signifie ? Attendez que je descende !

— T'aurais du mal ! ironisa le vieil homme. J'ai bloqué la poulie, alors t'attendras qu'on vienne te délivrer !

Pépé Victor tourna les talons. Imitant son maître, Baïonnette s'accroupit un instant au-dessus d'un sac de ciment, puis, la queue frétillante, elle courut rejoindre la silhouette claudiquante.

Les surprises se succédèrent, provoquant la stupeur et la consternation des villageois. Chaque habitant eut droit aux remarques aigres-douces de pépé Victor, aussi remuait-on vingt fois sa langue dans sa bouche avant d'adresser la parole au grand-père. Le Maire en fit l'amère expérience :

— Alors Victor, tu le prépares ce déménagement ? Là-bas, tu te la couleras douce et vivre en ville mettra un peu de plomb dans la tête d'Emmanuel.

De sa canne ferrée, menaçant de lui transpercer le nombril, le vieux avait fait reculer Jeannot Bilache de plusieurs mètres.

— Toi l'Jeannot, tout maire que tu es, garde tes conseils. N'oublie pas que je t'ai fait sauter sur mes genoux quand t'étais p'tiot. J't'ai rien demandé, rapport à ma place à la maison de retraite, j'te dois donc pas de remerciements, si c'est ça que t'attends. Emmanuel ne te demande rien non plus.

Du jour au lendemain, Pépé Verdun troqua son surnom contre celui de Pépé Ronchon. D'ailleurs, personne ne s'avisait plus d'évoquer le souvenir de la cote 345. Baïonnette récolta les fruits de ce changement d'humeur : on lui lança des pierres.

Bientôt pépé Victor ne s'habilla plus qu'en costume. Il abandonna ses pantalons de gros velours et ses chandails informes, pour endosser un splendide complet bleu-nuit, rayé de blanc, avec des chemises assorties qu'il mariait à des cravates chaque jour différentes.

On se moqua. Le vieux prétendait à l'élégance. Une lubie que l'âge excusait.

Mais le costume bleu-nuit fit place à d'autres - on en dénombra quatre - au tissu plus riche, à la coupe plus soignée. Vraiment, il était temps que le grand-père soit pris en charge !

La catastrophe redoutée arriva. Un mardi matin, très exactement à dix heures seize, pépé Victor s'arrêta devant la boulangerie. Plus exactement, SA 2 CV s'arrêta ! Une 2 CV d'occasion, certes, mais une 2 CV tout de même. À soixante-quinze ans ! À quelques semaines d'entrer à la "Résidence sans souci" ! Gâteux ! La vérité éclatait : avec l'âge, non seulement le vieillard s'aigrissait, mais il devenait aussi loufoque, accidenté du chapiteau, comme le lui déclara tout net le boulanger.

— P'têt ben qu'oui, p'têt ben qu'non, rétorqua malicieusement Victor. En tout cas, j'béquillerai plus le long des routes.

Il ajouta, pensif :

— J'me dépêche d'en profiter. Tu vois, j'ai plein de projets et peu de temps, tandis que toi, t'as plein de temps et rien à caser dedans.

Parmi ces projets, figurait sans doute la fréquentation assidue des restaurants puisqu'on vit Tchac et son grand-père, endimanchés, sillonner la région à la recherche des auberges les plus réputées.

La rumeur publique s'indigna :

— Si ce n'est pas malheureux de dilapider ainsi ses économies à son âge ! Une honte !

À vrai dire, Tchac ne comprenait pas mieux pépé Victor que les habitants du village. Au cours de ces sorties, ils ne se parlaient pas davantage, ne s'intéressaient pas à leur emploi du temps respectif et demeuraient sur le qui-vive.

« Pépère est bizarre », songeait-il parfois.

Et il prit peur. N'allait-il pas mourir ? Juste avant la mort, peut-être se conduisait-on ainsi ? La folie était-elle un symptôme ? Or, Victor perdait la boule. La veille, n'avait-il pas proposé :

— Je t'emmène au "Via Veneto". On y mange d'excellentes pizzas et de délicieux spaghettis bolognaise.

Des spaghettis bolognaise !

Baïonnette errait dans le village. Des gosses l'attiraient, la caressaient un instant, puis finissaient par lui attacher une boîte de conserve à la queue. Personne ne la défendait plus.

Dès l'aube, habillé comme un prince, pépé Victor filait au volant de la 2 CV. Jamais il ne disait où il se rendait, mais il réapparaissait ponctuellement à dix-huit heures, lorsque le car de ramassage scolaire rentrait de la ville. Ce souci d'accueillir Tchac à son retour d'école ne rimait pas à grand chose : depuis des jours, le gamin ne mettait plus les pieds au collège.

La veille, au cours du repas, alors que le vieux roulait sa traditionnelle cigarette, l'enfant avait demandé :

— Pourquoi tu mets un costume, même ici dans la cuisine ? C'est ridicule.

Il crut qu'il n'obtiendrait pas de réponse. Depuis quelque temps, pépé Victor se contentait de marmonner. L'horloge comtoise égrena huit coups et on entendit distinctement les claquements assourdis du balancier.

— Tu m'aimes pas, hein ?

La question fit sursauter Tchac. Il ne s'attendait pas à une pareille riposte. Il se troubla, rougit un peu et finalement, prit le parti de biaiser.

— Pourquoi tu dis ça ? T'es mon grand-père.

— Ouais, ouais, je sais...

Il tira pensivement sur sa cigarette mal roulée, au papier qui se décollait déjà parce qu'il en suçotait le bout et le mouillait. Son petit-fils ne supportait pas ces mégots gluants, dégoûtants, que le grand-père rallumait souvent. Fumer - ou faire semblant - occupait une bonne partie de ses journées.

— J'parle pas de l'état civil, reprit-il, j'parle d'autre chose... du reste... enfin tu me comprends.

Le visage de Tchac se crispa.

— J'ai jamais réussi à remplacer ton père et ta mère hein ? Tu fais la comparaison et je reconnais que je ne suis pas à la hauteur.

Sans transition, il revint à la question de son petit-fils.

— Des costumes, je n'en mettais que le dimanche, alors j'me rattrape. De toute façon, à quoi ça t'avance de savoir ?

Et il s'était remis à grommeler avant de disparaître dans la pièce qu'il utilisait comme atelier et dont l'entrée était formellement interdite à Tchac.

Ces dialogues étaient rares. Pépé Victor et son petit-fils - chacun de leur côté - parcouraient la région, l'un en voiture, l'autre à pied, à bicyclette ou en stop. Tchac passait de longues heures à la pêche ou dans la forêt dont il connaissait le moindre sentier. Il cuisait ses prises au feu de bois, alternant poisson et gibier car il excellait à poser des collets. Il tenait ses aptitudes de braconnier de son grand-père, mais lorsque ses doigts glissaient, légers, sous les ouïes d'une truite, se refermant comme une tenaille au moment où le poisson s'inquiétait de cette étrange caresse, il ne songeait pas une seconde aux leçons tenaces et patientes du vieux.

Le collège avait envoyé l'assistante sociale qui avait proféré des menaces. Chaque jour parvenaient des lettres d'intimidation et, accompagné d'un brigadier de gendarmerie, Jeannot Bilache, ceint de son écharpe, était même venu faire les sommations d'usage.

Que Tchac retourne au collège, sinon...

Tout fut inutile. L'école buissonnière continuait. Pépé Victor dévorait les kilomètres. En haut lieu, on capitula. Il suffisait de patienter. Dans moins de deux semaines, le vieux serait à l'hospice, le gosse placé chez une cousine à poigne et les vacances scolaires mettraient un terme à ses sottises.

Justement, en ouvrant les vannes qui assècheraient les viviers à truites du maire, Tchac pensait à cousine Monique. Il se souvenait de vacances là-bas : le ciné, la piscine, la vadrouille dans les rues, la moquette bleue de la chambre, les tartes aux framboises. Des jours de rêve, sans sermons ni jérémiades, en compagnie de gens qui parlaient, riaient, s'amusaient. Pourtant, lorsqu'il libéra la seconde vanne, il répéta son injuste jugement :

— Cousine Monique est une conne ! J'irai jamais chez elle !

Il dénombra les truites qui agonisaient au fond des bassins. À peine une cinquantaine si on incluait les petites dont personne ne voudrait. Une misère.

En tout cas, la police reviendrait. Il y aurait enquête, amendes. Pépé Victor ne pourrait plus se contenter de hausser les épaules !

Certes, depuis quelque temps pépé ne rouspétait plus, mais Tchac se rendait compte que cette fois, il avait exagéré. Depuis deux bonnes heures, une nuit sans lune masquait les maisons.

Aussi est-ce piteusement qu'il poussa la porte de la chambre.

— Tu dors ?

— ....

— Grand-père, tu dors ?

Tchac crut à une bouderie due à son retour tardif. Prêt à demander pardon, il s'avança à tâtons jusqu'au lit.

— Pépé, j'avais pas d'montre.

Sa main courait à la surface de la couverture, quêtant la bosse rassurante. Il s'affola.

— Pépé, où t'es ? Pourquoi tu me fais une farce ?

C'est alors qu'il entendit les plaintes et les grattements de Baïonnette, enfermée dans l'atelier. Il alluma.

Pépé Victor avait bel et bien disparu ! Le lit vide n'était pas défait. Instinctivement,

Tchac sut qu'il ne s'agissait ni d'un retard, ni d'un accident, mais de quelque chose d'extraordinaire, de mûrement réfléchi et décidé par son grand-père. Jamais le vieux n'enfermait Baïonnette : son geste indiquait donc qu'il craignait que, livrée à elle-même, la chienne ne s'égare ou ne tente de le rejoindre.

La 2 CV n'était pas dans la grange. À la cuisine, devant un unique couvert, attendait une salade de riz attaquée par un escadron de mouches furieuses. Une fugue !

Pépé Victor fuguait !

Le lendemain, le village s'amusa :

— Décidément, il n'en loupera pas une ! décréta Jeannot Bilache. Encore une de ses toquades de cinglé !

— Bah, il cherche à s'amuser un peu avant d'entrer à la "Résidence sans souci". Après tout c'est pour la fin de la semaine et là-bas, plus question de courir les routes !

L'opinion générale était que le grand-père réapparaîtrait au cours de la journée, après une nuit de liberté et de fête. On plaisanta :

— À 75 ans, il ne se refuse rien, notre pépère ; faut croire qu'il a encore bon pied, bon œil.

Tchac se taisait. Il écoutait les avis stupides des uns et des autres, persuadé que pépé Victor ne rentrerait pas, ni ce jour, ni un autre. Il comprenait cela, instinctivement, encore qu'il ne sût pas expliquer la conduite de son grand-père.

Malgré tout, en compagnie de Baïonnette, il ne quitta pas la cour de la journée, allant et venant du platane au portail, se précipitant au moindre bruit de moteur. La maison qu'il détestait, la maison si vieille, si mal commode, si pauvre, lui paraissait familière, amicale, rassurante.

Il se surprit à caresser Baïonnette, à lui parler. Comme le vieux.

— Tu crois qu'il est fâché ? À cause de moi ? Je f'sais trop de conneries, hein ?

Retrouvant ses poses habituelles, la chienne gémissait de plaisir. Pourtant, de temps à autre, elle détournait la tête et fixait le portail.

Vint le soir.

Les railleries cessèrent, l'angoisse apparut. Les villageois accoururent aux nouvelles. Rassemblés dans la cour de l'ancienne ferme, ils discutèrent d'abord à voix basse.

— Occupons-nous du p'tiot, affirma une voix. Ce genre de situation ne convient pas à un gosse !

— Tu pars chez ta cousine ? proposa le maire. Ou si tu préfères, tu t'installes à la maison en attendant qu'on ait retrouvé ton grand-père ?

— Je ne bouge pas d'ici ! rétorqua Tchac.

Il n'ajouta pas un mot de plus, mais chacun vit à son front buté, à ses yeux sombres et violents qu'il ne reviendrait pas sur sa décision. Par petits groupes, on discutait, on émettait des suppositions. Bientôt, on oublia complètement la présence de Tchac.

— Quelle incroyable histoire ! Il ne s'est

pas volatilisé : la gendarmerie ne signale aucun accident, la 2 CV a disparu, personne n'a remarqué quoi que ce soit. Ce bougre d'âne est quelque part, peut-être en train de rigoler en imaginant nos soucis...

— Et si le vieux a eu un grave pépin ? N'oubliez pas sa patte folle : à cet âge-là, un ennui banal prend souvent des dimensions dramatiques.

Tchac écoutait. Le mot accident gonflait sa poitrine d'un chagrin qu'il repoussait avec force. Depuis deux ans, qui pouvait se vanter de l'avoir vu pleurer ? Baïonnette, peut-être ? Certes, - et il conservait le secret - il savait que pépé Victor était parti de son plein gré, avec l'intention arrêtée de ne pas revenir de sitôt. Toutefois, cette certitude n'éliminait pas la possibilité de l'accident.

Quelqu'un évoqua la rivière, la forêt, l'immensité des champs. L'âge. Les conversations tournaient autour de cet unique mot répété sans cesse : l'âge, l'âge... l'âge du grand-père, cet âge devenu une menace terrible, une malédiction infernale contre laquelle le combat s'avérait vain.

— Les vieux sont pires que les gosses, trancha l'épicière. Ça ne réfléchit pas davantage et c'est capable des mêmes sottises.

— Bon, on se lamente jusqu'à demain ? intervint Jeannot Bilache. Pendant ce temps, pépé Verdun espère du secours. Alors si vous n'y voyez pas d'objection, je préviens la gendarmerie et de notre côté, on commence les recherches.

On interrogea Tchac.

— Lorsqu'il se promenait en voiture, où allait-il ?

— N'aimait-il pas particulièrement un endroit ?

— Hier, il ne t'a rien dit ?

— Il se sentait en forme ? Il n'était pas mélancolique ? Triste ?

— Souviens-toi... le moindre détail nous aiderait...

Tchac était pris de vertige. Comment répondre ? Comment avouer qu'il ignorait tout de son grand-père ? Qu'ils ne se parlaient pas ou si peu ? Les gens du village le connaissaient mieux que lui. Cette curiosité l'affolait. Y participer, c'était accepter l'idée de l'accident et l'enfant la refusait.

— Ce gosse a une pierre à la place du cœur, conclut Marcel Boilac. Il se fiche totalement de son grand-père, d'ailleurs il suffit de voir ce qu'il lui fait endurer. Quand je pense qu'il se saigne aux quatre veines pour ce môme…

Les recherches s'organisèrent. Des équipes de quatre fouilleraient les bosquets, longeraient la rivière, emprunteraient les chemins forestiers. Le temps pressait : la nuit tomberait d'ici deux heures à peine. Une voix impitoyable affirma :

— Si pépé Verdun passe une seconde nuit dehors, il est cuit ! Compte tenu de son âge…

Les paroles se perdirent dans le brouhaha.

Peu à peu, la cour se vida et bientôt l'ombre s'avança jusqu'au centre de l'aire de terre battue désertée. Tchac se crut seul. Il attira la chienne sur ses genoux, mais la porte de la cuisine s'ouvrit et la voisine,

Germaine Ravel, s'avança au-delà du seuil.

— Viens donc manger un morceau de tarte, mon p'tiot, et te bile surtout pas. Les gars du village sont des braillards. Ton pépé sait ce qu'il fait, il reviendra. J'le connais l'Victor, j'ai failli l'marier quand j'étais jeune.

Jamais le village n'avait vu une telle animation, ni vécu pareille aventure. Des dizaines de gendarmes, des pompiers avaient établi leur quartier général à la mairie et les voitures bleues et rouges, garées sous les marronniers de la place, donnaient l'impression d'un état de siège ou du moins, d'une catastrophe imminente.

Ceint de son écharpe tricolore, - il craignait trop qu'on ne s'adresse à quelqu'un d'autre - Jeannot Bilache vivait des heures de gloire.

Il organisait les battues, délimitait les zones à fouiller par de grands cercles tracés sur les cartes d'état-major qu'il déployait bruyamment, comme si le destin du monde dépendait de ses décisions.

Maintenant plus calme, Tchac suivait cette effervescence avec le détachement de celui qui sait qu'elle ne rime pas à grand-chose.

Une bonne partie de la nuit, Germaine Ravel avait raconté son grand-père.

— Et comment qu'ils se fourrent le doigt dans l'œil s'ils pensent que Victor est victime d'un accident ! Il a des soucis, des ennuis et j'suis pas loin de me douter quoi, et ce vieux têtu, y s'cache au lieu d'en parler.

— Pourquoi tu dis ça ? Après tout, t'en sais rien, avait remarqué Tchac.

— Tiens donc que j'en sais rien ! Ton pépé, j'le connais mieux que si j'l'avais fait et ces derniers temps, j'ai vu qu'il tournait pas rond. Toi, évidemment, occupé à courir la prétentaine...

Germaine s'était levée, et sans l'ombre d'une hésitation, avait sorti un gros album de photos d'un tiroir de la commode. Ainsi, elle était familière des lieux ! Tchac en ressentit du dépit.

— Regarde mon p'tiot, comme on était beaux !

Une photo aux teintes grises montrait un couple enlacé, assis auprès d'un énorme feu qui éclairait des danseurs.

— C'était le bal de la Saint-Jean, reprit Germaine avec nostalgie. Un demi-siècle déjà ! Mon dieu, que nous sommes donc vite devenus vieux. Ah, si on pouvait recommencer…

Elle rougit. Sa peau fanée se marbra de plaques roses.

— Ton pépère, j'l'aime encore cinquante ans après ; alors tu penses si j'me rends compte quand ça va ou ça va pas.

Germaine raconta. Un roman à quatre sous dont Tchac aurait ri dans d'autres circonstances. Ils s'aimaient. Elle en avait épousé un autre. À cause de l'argent.

— Deux jours avant mon mariage, cette tête de mule a disparu. Pfuitt, volatilisé. À l'époque, on n'organisait pas un pareil chambard. Trois semaines qu'il est parti. Trois semaines durant lesquelles j'l'ai cru mort, c't' idiot-là…

Elle s'indignait encore, mais sa voix fêlée d'émotion disait qu'elle revivait ses craintes d'alors.

Ce récit avait rassuré Tchac.

Cependant, lorsque les hommes-grenouilles préparèrent leur combinaison noire, son cœur battit la chamade. Le doute le prit. Et si Germaine se trompait ? Chaque fois que les inquiétantes silhouettes glissaient dans l'eau sombre des trous de la rivière, il s'effrayait, et chaque fois que les têtes masquées de caoutchouc émergeaient, il pâlissait dans l'attente du verdict.

À nouveau, on l'interrogea. Dans un car de police, deux gendarmes ventripotents posaient des questions qu'ils entrecoupaient de bâillements ou de réflexions saugrenues.

— Personne n'a jamais menacé ton grand-père ?

— ......

— On n'a rien volé... eh, tu as vu le match à la télé... De l'argent surtout... ?

— ......

— Vous n'avez pas eu de visites bizarres... je ne sais pas moi, des types un peu louches ? Maurice, trouve-nous une petite bière, on crève là-dedans.

— Ouais, surtout qu'on gâche son temps avec ces vieux qui perdent la boule, on ferait mieux de se préoccuper des gens qui partent en vacances, il paraît qu'il y a déjà des kilomètres de bouchons sur les routes.

— Dis, le môme, t'as avalé ta langue ? Si je te colle une paire de baffes, tu la retrouveras ?

Deux heures plus tard, le car étant vide, Tchac brisa la radio à coups de talons et écrabouilla deux talkies-walkies qui crachotaient d'incompréhensibles messages.

Lorsque la télévision - FR3 - installa son antenne vidéo, le village fut pris du délire de la célébrité. Jusque-là, on venait aux nouvelles par curiosité ou par amitié pour pépé Victor. On vint dans l'espoir d'être filmé. Hélas, les journalistes ne s'intéressèrent qu'au capitaine de gendarmerie. Campé derrière le large bureau de la mairie, il déclara d'un ton qui n'admettait pas de réplique :

— Mes hommes ont sondé la rivière, les étangs ; un hélico a survolé la région pendant que la forêt était passée au peigne fin. Après 48 heures de battue, nous n'avons retrouvé aucune trace du vieillard. Son véhicule a disparu. Je suis formel : ou il s'agit d'un enlèvement - hypothèse peu vraisemblable - ou notre homme a fait une fugue inexplicable.

Une main agrippa Tchac.

— Tu aimes ton grand-père ?

— ……

— Alors, fixe bien la caméra et lorsque j'agiterai la main, tu dis simplement : pépé reviens, je t'en supplie. D'accord ?

L'homme posa la caméra à cheval sur son épaule et cadra le membre de l'équipe qui tenait le micro.

— Mesdames et messieurs, bonsoir. Tonsul est un petit village bourguignon, plus connu pour ses truites que pour ses faits divers. Pourtant, la population est sur le pied de guerre. Elle cherche Victor Laniel, un vieil homme de 75 ans, disparu maintenant depuis près de trois jours. Monsieur Laniel est un original, nerveusement fragile, qui raconte à qui veut l'entendre ses souvenirs de la guerre de 14, guerre à laquelle il n'a évidemment pas participé. C'est dire que sa disparition inquiète. Son petit-fils a demandé l'autorisation de s'adresser à son grand-père. Nous lui cédons volontiers la parole.

La caméra décrivit un arc de cercle. Son œil glacé se posa sur Tchac. Une main balaya l'air, une autre plaça le micro à quelques centimètres de ses lèvres. Durant plusieurs secondes, il y eut un silence interminable.

Enfin Tchac se décida. Il hurla :

— Barre-toi pépé, barre-toi, y t'auront pas !

Tchac courait. Baïonnette suivait difficilement et jappait. À perte de vue, le chemin de terre déroulait sa bande brune entre les champs de blé vert. Un instant, l'enfant s'arrêta.

— Tu te grouilles, oui ! Il faut qu'on arrive avant que les autres aient eu la même idée.

En réalité, il reprenait son souffle, pendant que la chienne effondrée dans un coin d'ombre, haletait pitoyablement.

Il ne pensait qu'à la grange du Clos Motet, ce bâtiment en ruine situé à l'orée des bois, très loin du village.

Germaine avait dit :

— Ton pépé et moi, on se rejoignait au Clos Motet. Personne ne l'a jamais su. Mais, après mon mariage, il m'a traitée comme une inconnue, ne me disant pas un mot, pas même bonjour. Dieu sait pourtant que j'ai regretté cette bêtise ma vie entière !

Un pressentiment conduisait Tchac vers cette grange qui avait abrité les amours de son grand-père.

Il encouragea Baïonnette et la course reprit. Une légère brise ondulait les champs de céréales en vagues douces, aux reflets étranges, qui variaient selon le nuage qui masquait le soleil. Il redoutait les indiscrétions de Germaine : la chasse des journalistes les conduirait fatalement à la maison voisine de celle de pépé Victor et la vieille dame ne résisterait pas à leurs traquenards.

Surtout, les battre de vitesse. Arriver avant eux. Avant les sirènes, les caméras.

Le chemin escaladait une petite colline qui surplombait une vaste étendue de plaine. D'en haut, Tchac apercevrait la grange. Il accéléra. Il faillit ne pas remarquer la 2 CV verte. Dissimulée dans un champ, elle se confondait avec la végétation, mais par instant, le vent dévoilait le gris de la capote. Sans doute, le sentier maintenant défoncé d'ornières profondes n'était-il plus carrossable.

La grange n'était qu'à deux cents mètres. Malgré son épuisement, Baïonnette fila ventre à terre. Tchac ne voulut pas crier, d'ailleurs, la chienne n'aurait pas obéi.

Il parcourut les derniers mètres la poitrine serrée, la gorge sèche.

C'était affolant de songer que pépé Victor

se cachait peut-être là. C'était affolant de songer que la grange pouvait être vide.

Tchac se glissa entre deux lames de bois du portail délabré. D'abord, il ne vit rien. Une nuit presque totale obscurcissait la grange. Les ouvertures, apparentes de l'extérieur, étaient bouchées par les bottes de paille.

Il ne bougeait pas. Debout sur le sol bosselé de terre battue, il retenait jusqu'à son souffle. Bientôt, ses yeux s'habituant aux ténèbres, il repéra la forme floue du fourrage empilé jusqu'au toit.

Le gémissement de Baïonnette le fit sursauter. Un petit cri de plaisir et de joie.

— Pépé, t'es là ? chuchota Tchac.

— ……

— Je sais que t'es là, j'entends Baïonnette.

— ……

— Pourquoi tu réponds pas ?

— ……

— C'est à cause de moi que t'es parti ?

— …

— Maintenant, j'vais m'tenir à carreau, c'est sûr.

La voix tomba d'en haut, presque de sous les tuiles, une voix étouffée, comme si elle redoutait un témoin indiscret.

— Comment t'es arrivé jusque-là ?

— Germaine m'a raconté.

Il y eut un silence. Puis :

— Quelle vieille pie, celle-là ! De quoi j'me mêle...

Des secondes passèrent. Elles paraissaient l'éternité.

— Pépé, t'es là ?

— Tu me prends pour un courant d'air...

euh... j'te reproche rien mon gamin, j'ai fait ma part de bêtises...

Tout à coup, Baïonnette déboula de la paille, vint se frotter à Tchac en agitant la queue et repartit aussi vite vers son maître.

— Dis… t'as pas envie d'aller à la maison de retraite, hein ?

— …

— Et moi, j'irai pas chez cousine Monique, j'me sauverai. J'veux rester à Tonsul, avec toi si… si t'es d'accord.

Le vieux toussa.

— Y m'verront jamais dans leur foutue maison de retraite. Ça, jamais !

Il hésita.

— En tout cas, tant que j'pourrai traîner ma carcasse. P'têtre que si on essayait vraiment, p'tête que si on s'conduisait pas comme deux bougres d'âne… enfin, j'veux dire qu'on pourrait p'tête faire encore un bout de chemin ensemble…

La boule qui étouffait Tchac éclata, délivrant sa poitrine de l'horrible poids qui y pesait depuis des semaines. Il cria :

— Toujours ! On vivra toujours tous les deux !

Pépé Victor dit doucement :

— Non, pas toujours. Je suis vieux, un jour, je partirai, mais cela ne se produira pas avant longtemps, longtemps, longtemps. D'ailleurs, tu te lasseras le premier d'un vieux maniaque comme moi. Mon p'tit Tchac…

La phrase demeura en suspens. Pour la première fois, pépé Victor utilisait le surnom de son petit-fils. Ce surnom qu'il détestait. Tchac serra les dents. Il aurait aimé sauter au cou de son grand-père, mais il n'était encore qu'une ombre parmi toutes celles qui se dissimulaient dans la grange.

— Au fait, au village, ils me cherchent ? demanda anxieusement le fantôme.

— Plutôt, oui !

Tchac raconta. Les gendarmes. Les hommes-grenouilles. La télé. À chaque nouvel épisode, le vieux éclatait d'un rire d'enfant. Ils poursuivirent ainsi leur dialogue dans la nuit et Baïonnette courait de l'un à l'autre. Tchac était heureux.

Quant à pépé Victor, il jubilait.

— Il en fera une tête le Jeannot Bilache ! Lui qui se croit plus malin que tout le monde ! Des hommes-grenouilles ! Pourquoi pas un régiment de parachutistes !

Alors, il dévoila son plan.

— Si nous allions en vacances ? Jamais je n'ai pris un vrai jour de vacances durant ces 75 années. J'aimerais… on irait…

— À Verdun ! s'exclama Tchac.

Ce fut un fou-rire interminable. Enfin, le grand-père parvint à articuler quelques mots.

— Oui, Verdun et la mer, la montagne, partout. Je suis presque riche... une vie d'économie à dépenser.

Ils partiraient dès le lendemain. En 2 CV. Dès qu'ils seraient loin du village, ils préviendraient le maire par téléphone.

— Ils arrêteront les recherches, conclut pépé Victor et, dans deux mois, lorsque nous rentrerons à la fin des vacances scolaires, ils auront oublié.

Brusquement, ils se turent tous les deux. Chacun imaginait déjà les jours à venir.

— Pépé ? murmura Tchac.

— Quoi ?

— Tu descends maintenant ?

Il entendit le bruit des bottes de paille qu'on bousculait.

Ils se firent arrêter à moins de 50 kms du village. Un banal contrôle routier.

— Excès de vitesse, constata le gendarme.

— Vous plaisantez ! protesta pépé Victor. En 2 CV !

— Le radar est formel : 83 km/h dans la traversée du hameau, alors que la vitesse autorisée est de 60. Veuillez grimper dans la camionnette afin que je verbalise.

Ils obéirent. À l'arrière du véhicule, un second gendarme lisait le journal. Un gros titre attirait les regards :

MIRACLE !
PAS DE VICTIMES !
UN INCENDIE DÉTRUIT ENTIÈREMENT
LA MAISON DE RETRAITE DE
" LA RÉSIDENCE SANS SOUCI"

— La note sera salée ! dit le gendarme d'un ton sec. Vous mériteriez même un retrait de permis de conduire !

Certain de son effet, il leva la tête. Pépé Victor et Tchac, enlacés, riaient silencieusement.

Chez le même éditeur

Dès 7 ans

- **Belle-Zazou** Thierry Jonquet/Nathalie Dieterlé
- **Max le zappeur** Didier Dufresne/J.P Duffour
- **A rebrousse temps** Pascal Garnier/Cathy Muller
- **Le commencement des Tatous** Rudyard Kipling/A. I. Le Touzé
- **Souï Manga** Marie-Aude et Elvire Murail/Joëlle Jolivet
- **Rita Cafarstrophe** Martine Dorra/Frédérique Vayssières
- **Le Chat Rouge** Pierre Mezinski/Sophie de Seynes
- **Robinson couteau suisse** Bruno Heitz

Dès 10 ans

- **L'oiseau totem** Nicole Caligaris
- **Mado** Pascal Garnier
- **La maison aux yeux fermés** Anne-Marie Pol
- **Apolline ou la porte du temps** Thérèse Roche
- **Z comme Zoulou** Jean-Paul Nozière

Dépôt légal : novembre 1993

Loi n° 49-956 du 16 juillet 1949
sur les publications destinées à la jeunesse.

ISBN 2 74040311 9

ISSN 1160 185 X

Imprimé en France – Publiphotoffset, 93500 Pantin – en octobre 1993
Printed in France